Aquele rio
era como um cão sem plumas.
Nada sabia da chuva azul,
da fonte cor-de-rosa,
da água do copo de água,
da água de cântaro,
dos peixes de água,
da brisa na água.

João Cabral de Melo Neto

O cão sem plumas

e outros poemas

Sumário

O descobrimento de Cabral

João Cabral de Melo Neto começa a escrever a partir de Carlos Drummond de Andrade. Sua diferença em relação à maioria de seus companheiros de geração, a de 45, começa aí.

Nem precisaria, para abonar essa filiação, transcrever aqui o que foi dito por João, em entrevista, já como poeta feito, e no auge: "O Carlos Drummond de Andrade, quando eu o li no Recife, foi uma revelação. Eu tenho a impressão de que eu escrevo poesia porque eu li o primeiro livro dele, *Alguma poesia*. Foi ele que me mostrou que ser poeta não significava ser sonhador, que a ironia, a prosa cabiam dentro da poesia."

Não precisaria porque, desde os primeiros poemas datados de 1937, 1938, 1940, que não fazem parte de seu livro de estréia, a matriz da escrita drummondiana está presente, assim como também a nomeação e dedicatória que estão em dois deles. Quando *Pedra do sono* é publicado, em 1942 (um topônimo, como *Brejo das almas*, segundo livro de Drummond), o volume é dedicado aos pais, a Willy Lewin e ao poeta mineiro. Em *Os três mal-amados*, de 1943, o texto é calcado na poesia ultramodernista de "Quadrilha", de Carlos Drummond, e tem três dos seus versos na epígrafe.

Essa ligação próxima continua n' *O engenheiro*, de 1945. Além da dedicatória vazada nos mesmos termos com que Drummond escreveu a sua, em *Alguma poesia*, para Mário de Andrade: "A Mário de Andrade, meu amigo", há o belíssimo "A Carlos Drummond de Andrade", que guarda similitude com o poema de circunstância, de 1943 – igualmente belo –, que não foi recolhido em livro e que aparece, manuscrito, em papel timbrado da Presidência da República, de um funcionário público para outro, publicado no número 1 dos *Cadernos de literatura brasileira*, do Instituto Moreira Salles. Nele, João Cabral escreve:

> Difícil ser funcionário
> Nesta segunda-feira.
> Eu te telefono, Carlos,
> Pedindo conselho.

Mas se Carlos Drummond foi presença decisiva na formação de João Cabral, Murilo Mendes foi quem o ensinou, segundo as próprias palavras de João, "... a dar precedência à imagem sobre a mensagem, ao plástico sobre o discursivo". Em *Pedra do sono*, aliás, a influência de Murilo é igual à de Drummond, se não for maior.

Completando o diálogo poético e de amizade que manteve com os poetas do Modernismo, muito mais do que com seus companheiros de geração, o terceiro mosqueteiro deste jovem D'Artagnan foi Manuel Bandeira.

Como se vê na carta enviada, em 1947, pelo decano e ponto de equilíbrio magnífico do nosso Modernismo, o prestígio de João Cabral já era alto: Manuel submete a sua apreciação um poema recém-feito que mostra a influência do poeta de 27 anos:

> O arranha-céu sobe no ar puro lavado pela chuva
> E desce refletido na poça de lama do pátio.
> Entre a realidade e a imagem, no chão seco que as
> [separa,
> Quatro pombas passeiam.

A marca cabralina é mais do que evidente. O poema de Bandeira tem parentesco com a dicção "sem plumas" e com os temas que formam e informam os poemas de *O engenheiro*:

> A água, o vento, a claridade
> de um lado o rio, no alto as nuvens,
> situavam na natureza o edifício
> crescendo de suas forças simples.

Nada mais natural que Manuel Bandeira com seu gosto apurado de grande leitor de poesia sentisse o que Antonio Candido, outro leitor de igual quilate e dois anos mais velho que João, e também no início de sua carreira de crítico e ensaísta inigualável, pioneiramente, vislumbrou, ao resenhar, em 1943, *Pedra do sono*: "Como quer que seja, há nele [João Cabral] qualidades fortes de poesia, eu não sei de ninguém nos últimos tempos que tenha estreado com tantas promessas." Também Vinicius de Moraes, em carta de 1948 a Bandeira, dizia sobre a *Psicologia da composição*, terceiro livro de João Cabral editado por ele mesmo em sua prensa caseira: "Acabei de receber o livrinho do João Cabral que achei de primeira. Está longe o melhor de todos esses novos."

Como se vê, nesse pequeno apanhado, a recepção à poesia de João Cabral era ilustre. Talento à parte, ele soube ler seus mestres egressos do Modernismo, sem desejar passar a limpo ou a borracha nas suas conquistas; ao contrário, ele soube incorporá-las ao seu estilo personalíssimo, desde o início. De 1942 a 1947, realizou a proeza notável de construir uma identidade autoral forte e renovadora a princípio, que foi se tornando verdadeiramente revolucionária a cada nova publicação. O livro que dá a partida dessa revolução sorrateira feita fora do Brasil, no "exílio" diplomático, à margem das editoras, em edições do autor, hoje, verdadeiras raridades bibliográficas, é o que dá título a este volume: *O cão sem plumas*, de 1950, primeiro poema de grande fôlego da obra cabralina, um dos marcos definitivos da poesia brasileira e um divisor de águas da poética de Cabral.

Em uma carta de 1951, Manuel Bandeira dá uma resposta perfeita a João Cabral que estava pondo em dúvida o valor e a função da poesia de todos seus livros anteriores ao *Cão sem plumas*: "Nunca me pareceu onanista o intelectualismo dos seus livros anteriores. Parecia-me, sim, uma espécie de exercício, mas exercício que não excluía a categoria altamente poética." Nada como comprovar esta avaliação usando a mão do próprio João e fazer uma colagem de trechos de poemas, que estampam o itinerário do seu descobrimento.

Em *Pedra do sono* os poemas transitavam no claro-escuro das sensações enclausuradas, entre vigília e sonho, real e surreal, assim:

Em densas noites
com medo de tudo:
de um anjo que é cego

de um anjo que é mudo.
(...)
Ó nascidas manhãs
que uma fada vai rindo,
sou o vulto longínquo
de um homem dormindo.

Mas em *Os três mal-amados* a claridade começa a prevalecer:

Maria era também, em certas tardes, o campo cimentado que eu atravessava para chegar em algum lugar. Sozinho sobre a terra e sob um sol que me poderia evaporar de toda nuvem.

Como que preparando o ambiente e a disposição do poeta-engenheiro para o próximo desjejum:

O jornal dobrado
sobre a mesa simples;
a toalha limpa,
a louça branca

e fresca como o pão.

A laranja verde:
tua paisagem sempre,
teu ar livre, sol
de tuas praias; clara

e fresca como o pão.

E do ar livre da casa para o ar rarefeito, mitológico, musical da "Fábula de Anfion":

No deserto, entre a
paisagem de seu
vocabulário, Anfion,

ao ar mineral isento
mesmo da alada
vegetação, no deserto

que acaba ecoando no ar das páginas da sua arte poética, em "Psicologia da composição":

É mineral o papel
onde escrever
o verso; o verso
que é possível não fazer.

Logo depois, em "Antiode", o clima sofre uma brusca alteração, antecipando o ar pesado do rio cachorrento que corta a cidade do Recife:

Poesia, te escrevo
agora: fezes, as
fezes vivas que és.
Sei que outras

palavras és, palavras
impossíveis de poema.
Te escrevo, por isso,
fezes, palavra leve,

mas que descreve uma mudança radical do lugar de onde essa poesia continua a ser escrita. Do ar para o chão movediço do rio de água e lama, e que passa em revista o Recife e seus podres, kafkianamente metamorfoseado num cão. O poeta já não mais sonha com coisas claras: "superfícies, tênis, um copo de água":

> Aquele rio
> era como um cão sem plumas.
> Nada sabia da chuva azul,
> da fonte cor-de-rosa,
> da água do copo de água,
> da água de cântaro,
> dos peixes de água,
> da brisa na água.
>
> Sabia dos caranguejos
> de lodo e ferrugem.
> Sabia da lama
> como de uma mucosa.
> Devia saber dos polvos.
> Sabia seguramente
> da mulher febril que habita as ostras.

João Cabral de Melo Neto, antes de completar dez anos de poeta publicado, alcança um dos pontos culminantes de sua obra e da poesia brasileira. Do poeta iniciante ao poeta maior sua evolução, "tecida em grosso tear", foi rara, pela força, velocidade e consistência. Com toda certeza, intuía que também para os poetas como "para os bichos e rios/nascer já é caminhar".

Armando Freitas Filho

PEDRA DO SONO
(1940-1941)

A meu pai e minha mãe

A Willy Lewin
e Carlos Drummond de Andrade

"Solitude, récif, étoile..."
MALLARMÉ

Poema

Meus olhos têm telescópios
espiando a rua,
espiando minha alma
longe de mim mil metros.

Mulheres vão e vêm nadando
em rios invisíveis.
Automóveis como peixes cegos
compõem minhas visões mecânicas.

Há vinte anos não digo a palavra
que sempre espero de mim.
Ficarei indefinidamente contemplando
meu retrato eu morto.

Os olhos

Todos os olhos olharam:
o fantasma no alto da escada,
os pesadelos, o guerreiro morto,
a *girl* a forca o amor.
Juntos os peitos bateram
e os olhos todos fugiram.

(Os olhos ainda estão muito lúcidos.)

Poema deserto

Todas as transformações
todos os imprevistos
se davam sem o meu consentimento.

Todos os atentados
eram longe de minha rua.
Nem mesmo pelo telefone
me jogavam uma bomba.

Alguém multiplicava
alguém tirava retratos:
nunca seria dentro de meu quarto,
onde nenhuma evidência era provável.

Havia também alguém que perguntava:
Por que não um tiro de revólver
ou a sala subitamente às escuras?

Eu me anulo me suicido,
percorro longas distâncias inalteradas,
te evito te executo
a cada momento e em cada esquina.

Os manequins

Os sonhos cobrem-se de pó.
Um último esforço de concentração
morre no meu peito de homem enforcado.
Tenho no meu quarto manequins corcundas
onde me reproduzo
e me contemplo em silêncio.

Dentro da perda da memória

A José Guimarães de Araújo

Dentro da perda da memória
uma mulher azul estava deitada
que escondia entre os braços
desses pássaros friíssimos
que a lua sopra alta noite
nos ombros nus do retrato.

E do retrato nasciam duas flores
(dois olhos dois seios dois clarinetes)
que em certas horas do dia
cresciam prodigiosamente
para que as bicicletas de meu desespero
corressem sobre seus cabelos.

E nas bicicletas que eram poemas
chegavam meus amigos alucinados.
Sentados em desordem aparente,
ei-los a engolir regularmente seus relógios
enquanto o hierofante armado cavaleiro
movia inutilmente seu único braço.

Noturno

O mar soprava sinos
os sinos secavam as flores
as flores eram cabeças de santos.

Minha memória cheia de palavras
meus pensamentos procurando fantasmas
meus pesadelos atrasados de muitas noites.

De madrugada, meus pensamentos soltos
voaram como telegramas
e nas janelas acesas toda a noite
o retrato da morta
fez esforços desesperados para fugir.

Poema de desintoxicação

A Jarbas Pernambucano

Em densas noites
com medo de tudo:
de um anjo que é cego
de um anjo que é mudo.
Raízes de árvores
enlaçam-me os sonhos
no ar sem aves
vagando tristonhos.
Eu penso o poema
da face sonhada,
metade de flor
metade apagada.
O poema inquieta
o papel e a sala.
Ante a face sonhada
o vazio se cala.
Ó face sonhada
de um silêncio de lua,
na noite da lâmpada
pressinto a tua.
Ó nascidas manhãs
que uma fada vai rindo,
sou o vulto longínquo
de um homem dormindo.

Infância

Sobre o lado ímpar da memória
o anjo da guarda esqueceu
perguntas que não se respondem.

Seriam hélices
aviões locomotivas
timidamente precocidade
balões-cativos si-bemol?

Mas meus dez anos indiferentes
rodaram mais uma vez
nos mesmos intermináveis carrosséis.

A poesia andando

Os pensamentos voam
dos três vultos na janela
e atravessam a rua
diante de minha mesa.

Entre mim e eles
estendem-se avenidas iluminadas
que arcanjos silenciosos
percorrem de patins.

Enquanto os afugento
e ao mesmo tempo que os respiro
manifesta-se uma trovoada
na pensão da esquina.

E agora
em continentes muito afastados
os pensamentos amam e se afogam
em marés de águas paradas.

As amadas

As amadas rebentam nas fontes do poema,
as amadas não são a filha do rei,
uma delas não sabe onde me encontrar;
no pensamento vizinho ao meu
cresce o desejo das amadas;
vou apanhar os peixes da lua
para a fome das amadas.

Mas meu quotidiano irreparável
perdendo suas formas volantes:
— Por que as nuvens baixas
pesando nos meus olhos?
Onde as amadas para minha espera?

Canção

Demorada demoradamente
nenhuma voz me falou.
Eu vi o espectro do rei
não sei em que porta ele entrou.
Meus sofrimentos cumpridos
que sono os arrebatou?
Mas por detrás da cortina
que gesto meu se apagou?

Marinha

Os homens e as mulheres
adormecidos na praia
que nuvens procuram
agarrar?

No sono das mulheres
cavalos passam correndo
em ruas que soam
como tambores.

Os homens têm espelhos de bolso
onde os gestos das amadas
(as amadas demoradas)
se repetem.

Vi apenas que no céu do sonho
a lua morta já não mexia mais.

Dois estudos

1

Tu és a antecipação
do último filme que assistirei.
Fazes calar os astros,
os rádios e as multidões na praça pública.
Eu te assisto imóvel e indiferente.
A cada momento tu te voltas
e lanças no meu encalço
máquinas monstruosas que envenenam reservatórios
sobre os quais ganhaste um domínio de morte.
Trazes encerradas entre os dedos
reservas formidáveis de dinamite
e de fatos diversos.

2

Tu não representas as 24 horas de um dia,
os fatos diversos,
o livro e o jornal
que leio neste momento.
Tu os completas e os transcendes.
Tu és absolutamente revolucionária e criminosa,
porque sob teu manto
e sob os pássaros de teu chapéu
desconheço a minha rua,
o meu amigo e o meu cavalo de sela.

A porta

Procuravam a esquecida chuva
de inverno em sua boca
de onde alguém soprara as
palavras de fora do poema.

Como interrogassem sobre a... (?)
a mulher falando no escuro:
levitações elefante até-logo,
o sol na fronte não desaparecia.

Houve porém outro alguém
(deste só a cabeça
e o número da casa)
que se esqueceu entre o véu e o assalto.

Canção

Sob meus pés nasciam águas
que eu aprendia a navegar,
onde um perfil eu via
ao céu se abandonar,
e um grito de criança
imóvel no luar.

Sob meus pés nasciam águas
onde um navio ia boiar,
onde mãos de máquina
me saíam a procurar,
deitado numa rua,
perdido num lugar.

Homem falando no escuro

Dentro da noite ao meu lado
grandes contemplações silenciosas;
dentro da noite, dentro do sonho
onde os espaços e o silêncio se confundem.

Um gesto corria do princípio
batendo asas que feriam de morte.
Eu me sentia simultaneamente adormecer
e despertar para as paisagens mais quotidianas.

Não era inconfessável que eu fizesse versos
mas juntos nos libertávamos a cada novo poema.
Apenas transcritos eles nunca foram meus,
e de ti nada restava para as cidades estrepitosas.

Só os sonhos nos ocupam esta noite,
nós dois juntos despertamos o silêncio.
Dizia-se que era preciso uma inundação,
mas nem mesmo assim uma estrela subiu.

Janelas

Há um homem sonhando
numa praia; um outro
que nunca sabe as datas;
há um homem fugindo
de uma árvore; outro que perdeu
seu barco ou seu chapéu;
há um homem que é soldado;
outro que faz de avião;
outro que vai esquecendo
sua hora seu mistério
seu medo da palavra véu;
e em forma de navio
há ainda um que adormeceu.

Jardim

Como o inferno que se esquece
buliu o lírio nu
à valsa que o gramofone
espalhou no jardim
aos gestos que o enforcado
estendeu para mim.

Podia-se ver o sopro
que apagou o gramofone
e afagou a triste cabeça
pendurada no jardim.

A Miss

A Miss estendia as mãos:
nas mãos da Miss chegavam
os aviões dançando nas cumeeiras.
Chegavam os poemas da Miss;
a Miss fugia da luz com seus poemas,
seus pássaros
e suas reportagens sobrenaturais.

A boca da Miss invariavelmente
trazia flores nos jarros da janela,
passavam telegramas que ninguém sabia.
A Miss estendia as mãos:
brotavam guerreiros na Malásia,
200 guerreiros de pele cor-de-rosa
que me perseguiam com caixas de música.

Poesia

Ó jardins enfurecidos,
pensamentos palavras sortilégio
sob uma lua contemplada;
jardins de minha ausência
imensa e vegetal;
ó jardins de um céu
viciosamente freqüentado:
onde o mistério maior
do sol da luz da saúde?

Composição

Frutas decapitadas, mapas,
aves que prendi sob o chapéu,
não sei que vitrolas errantes,
a cidade que nasce e morre,
no teu olho a flor, trilhos
que me abandonam, jornais
que me chegam pela janela
repetem os gestos obscenos
que vejo fazerem as flores
me vigiando em noites apagadas
onde nuvens invariavelmente
chovem prantos que não digo.

O poeta

No telefone do poeta
desceram vozes sem cabeça
desceu um susto desceu o medo
da morte de neve.

O telefone com asas e o poeta
pensando que fosse o avião
que levaria de sua noite furiosa
aquelas máquinas em fuga.

Ora, na sala do poeta o relógio
marcava horas que ninguém vivera.
O telefone nem mulher nem sobrado,
ao telefone o pássaro-trovão.

Nuvens porém brancas de pássaros
acenderam a noite do poeta
e nos olhos, vistos por fora, do poeta
vão nascer duas flores secas.

O regimento

O estudo, o trabalho, o relógio na torre.
— A noite explodiu em mim? Não creio necessário.
(Tais gritos ao telefone não perturbavam o silêncio.)

Podíamos verificar que chegávamos de sucessivas caminhadas.
Estaríamos cansados? Mas a um só gesto despíamos a farda.
Como estávamos longe, muito afastados, em cada extremo
[da cidade,

os poemas eram transcritos por toda a comunidade.
Às refeições os soldados os tinham sob os pratos.
Muito interessante a guerra! O sr. poderia me dar uma
[explicação para todas essas laranjas?

A mulher no hotel

A mulher que eu não sabia
(rosas nas mãos que eu não via,
olhos, braços, boca, seios),
deita comigo nas nuvens.
Nos seus ombros correm ventos,
crescem ervas no seu leito,
vejo gente no deserto
onde eu sonhara morrer.
Terei de engolir a poeira
que seus cabelos levantam
e pousa na minha alma
me dando um gosto de inferno?
Terei de esmagar as crianças?
Pisar as flores crescendo?
Terei de arrasar as cidades
sob seu corpo bulindo?
Hei de achar um cemitério
onde um seu pé plantarei.
Vou cuspir nos olhos brancos
dessa mulher que eu não sei.

Homenagem a Picasso

O esquadro disfarça o eclipse
que os homens não querem ver.
Não há música aparentemente
nos violinos fechados.
Apenas os recortes dos jornais diários
acenam para mim com o juízo final.

A André Masson

Com peixes e cavalos sonâmbulos
pintas a obscura metafísica
do limbo.

Cavalos e peixes guerreiros
fauna dentro da terra a nossos pés
crianças mortas que nos seguem
dos sonhos.

Formas primitivas fecham os olhos
escafandros ocultam luzes frias;
invisíveis na superfície pálpebras
não batem.

Friorentos corremos ao sol gelado
de teu país de mina onde guardas
o alimento a química o enxofre
da noite.

Espaço jornal

No espaço jornal
a sombra come a laranja,
a laranja se atira no rio,
não é um rio, é o mar
que transborda de meu olho.

No espaço jornal
nascendo do relógio
vejo mãos, não palavras,
sonho alta noite a mulher
tenho a mulher e o peixe.

No espaço jornal
esqueço o lar o mar
perco a fome a memória
me suicido inutilmente
no espaço jornal.

O aventureiro

Às primeiras palavras que ela gritou
fomos precipitados na sombra.
A sombra era doce e tinha suas vantagens:
esportes, cinema e os sinais de tráfego sempre abertos.
As palavras seguintes não foram palavras de dicionário.
Nos tiraram de lá e nos deixaram
as emoções irremediavelmente desertas.
A esta altura ela não mais podia ser encontrada
dentro de nenhum dos espelhos da casa.
Ninguém ousava morrer. Todos corremos na praia nua.

O poema e a água

As vozes líquidas do poema
convidam ao crime
ao revólver.

Falam para mim de ilhas
que mesmo os sonhos
não alcançam.

O livro aberto nos joelhos
o vento nos cabelos
olho o mar.

Os acontecimentos de água
põem-se a se repetir
na memória.

OS TRÊS MAL-AMADOS
(1943)

"João amava Teresa que amava Raimundo
que amava Maria que amava Joaquim que amava Lili..."
CARLOS DRUMMOND DE ANDRADE

João:

Olho Teresa. Vejo-a sentada aqui a meu lado, a poucos centímetros de mim. A poucos centímetros, muitos quilômetros. Por que essa impressão de que precisaria de quilômetros para medir a distância, o afastamento em que a vejo neste momento?

Raimundo:

Maria era a praia que eu freqüentava certas manhãs. Meus gestos indispensáveis que se cumpriam a um ar tão absolutamente livre que ele mesmo determina seus limites, meus gestos simplificados diante de extensões de que uma luz geral aboliu todos os segredos.

Joaquim:

O amor comeu meu nome, minha identidade, meu retrato. O amor comeu minha certidão de idade, minha genealogia, meu endereço. O amor comeu meus cartões de visita. O amor veio e comeu todos os papéis onde eu escrevera meu nome.

João:

Olho Teresa como se olhasse o retrato de uma antepassada que tivesse vivido em outro século. Ou como se olhasse um vulto em outro continente, através de um telescópio. Vejo-a como se a cobrisse a poeira tenuíssima ou o ar quase azul que envolvem as pessoas afastadas de nós muitos anos ou muitas léguas.

Raimundo:

Maria era sempre uma praia, lugar onde me sinto exato e nítido como uma pedra — meu particular, minha fuga, meu excesso imediatamente evaporados. Maria era o mar dessa praia, sem mistério e sem profundeza. Elementar, como as coisas que podem ser mudadas em vapor ou poeira.

JOAQUIM:

O amor comeu minhas roupas, meus lenços, minhas camisas. O amor comeu metros e metros de gravatas. O amor comeu a medida de meus ternos, o número de meus sapatos, o tamanho de meus chapéus. O amor comeu minha altura, meu peso, a cor de meus olhos e de meus cabelos.

JOÃO:

Posso dizer dessa moça a meu lado que é a mesma Teresa que durante todo o dia de hoje, por efeito do gás do sonho, senti pegada a mim?

RAIMUNDO:

Maria era também uma fonte. O líquido que começaria a jorrar num momento que eu previa, num ponto que eu poderia examinar, em circunstâncias que eu poderia controlar. Eu aspirava acompanhar com os olhos o crescimento de um arbusto, o surgimento de um jorro de água.

JOAQUIM:

O amor comeu meus remédios, minhas receitas médicas, minhas dietas. Comeu minhas aspirinas, minhas ondas-curtas, meus raios-X. Comeu meus testes mentais, meus exames de urina.

João:

Esta é a mesma Teresa que na noite passada conheci em toda intimidade? Posso dizer que a vi, falei-lhe, posso dizer que a tive em toda a intimidade? Que intimidade existe maior que a do sonho? A desse sonho que ainda trago em mim como um objeto que me pesasse no bolso?

Raimundo:

Maria não era um corpo vago, impreciso. Eu estava ciente de todos os detalhes de seu corpo, que poderia reconstituir à minha vontade. Sua boca, seu riso irregular. Todos esses detalhes não me seria difícil arrumá-los, recompondo-a, como num jogo de armar ou uma prancha anatômica.

Joaquim:

O amor comeu na estante todos os meus livros de poesia. Comeu em meus livros de prosa as citações em verso. Comeu no dicionário as palavras que poderiam se juntar em versos.

João:

Ainda me parece sentir o mar do sonho que inundou meu quarto. Ainda sinto a onda chegando à minha cama. Ainda me volta o espanto de despertar entre móveis e paredes que eu não compreendia pudessem estar enxutos. E sem nenhum sinal dessa água que o sol secou mas de cujo contacto ainda me sinto friorento e meio úmido (penso agora que seria mais justo, do mar do sonho, dizer que o sol o afugentou, porque os sonhos são como as aves não apenas porque crescem e vivem no ar).

RAIMUNDO:

Maria era também, em certas tardes, o campo cimentado que eu atravessava para chegar em algum lugar. Sozinho sobre a terra e sob um sol que me poderia evaporar de toda nuvem.

JOAQUIM:

Faminto, o amor devorou os utensílios de meu uso: pente, navalha, escovas, tesouras de unhas, canivete. Faminto ainda, o amor devorou o uso de meus utensílios: meus banhos frios, a ópera cantada no banheiro, o aquecedor de água de fogo-morto mas que parecia uma usina.

JOÃO:

Teresa aqui está, ao alcance de minha mão, de minha conversa. Por que, entretanto, me sinto sem direitos fora daquele mar? Ignorante dos gestos, das palavras?

RAIMUNDO:

Maria era também uma árvore. Um desses organismos sólidos e práticos, presos à terra com raízes que a exploram e devassam seus segredos. E ao mesmo tempo lançados para o céu, com quem permutam seus gases, seus pássaros, seus movimentos.

JOAQUIM:

O amor comeu as frutas postas sobre a mesa. Bebeu a água dos copos e das quartinhas. Comeu o pão de propósito escondido. Bebeu as lágrimas dos olhos que, ninguém o sabia, estavam cheios de água.

João:

O sonho volta, me envolve novamente. A onda torna a bater em minha cadeira, ameaça chegar até a mesa. Penso que, no meio de toda esta gente da terra, gente que parece ter criado raízes, como um lavrador ou uma colina, sou o único a escutar esse mar. Talvez Teresa...

Raimundo:

Maria era também a garrafa de aguardente. Aproximo o ouvido dessa forma correta e explorável e percebo o rumor e os movimentos de sonhos possíveis, ainda em sua matéria líquida, sonhos de que disporei, que submeterei a meu tempo e minha vontade, que alcançarei com a mão.

Joaquim:

O amor voltou para comer os papéis onde irrefletidamente eu tornara a escrever meu nome.

João:

Talvez Teresa... Sim, quem me dirá que esse oceano não nos é comum?

Raimundo:

Maria era também o jornal. O mundo ainda quente, em sua última edição e mais recente.

Joaquim:

O amor roeu minha infância, de dedos sujos de tinta, cabelo caindo nos olhos, botinas nunca engraxadas. O amor roeu o menino esquivo, sempre nos cantos, e que riscava os livros, mordia o lápis, andava na rua chutando pedras. Roeu as conversas, junto à bomba de gasolina do largo, com os primos que tudo sabiam sobre passarinhos, sobre uma mulher, sobre marcas de automóvel.

João:

Posso esperar que esse oceano nos seja comum? Um sonho é uma criação minha, nascida de meu tempo adormecido, ou existe nele uma participação de fora, de todo o universo, de sua geografia, sua história, sua poesia?

Raimundo:

Maria era também um livro: susto de que estamos certos, susto que praticar, com que fazer os exercícios que nos permitirão entender a voz de uma cadeira, de uma cômoda; susto cuidadosamente oculto, como qualquer animal venenoso, entre as folhas claras e organizadas dessa floresta numerada que leva dísticos explicativos: poesia, poemas, versos.

Joaquim:

O amor comeu meu estado e minha cidade. Drenou a água morta dos mangues, aboliu a maré. Comeu os mangues crespos e de folhas duras, comeu o verde ácido das plantas de cana cobrindo os morros regulares, cortados pelas barreiras vermelhas, pelo trenzinho preto, pelas chaminés. Comeu o cheiro de cana cortada e o cheiro de maresia. Comeu até essas coisas de que eu desesperava por não saber falar delas em verso.

JOÃO:

O arbusto ou a pedra aparecida em qualquer sonho pode ficar indiferente à vida de que está participando? Pode ignorar o mundo que está ajudando a povoar? É possível que sintam essa participação, esses fantasmas, essa Teresa, por exemplo, agora distraída e distante? Há algum sinal que a faça compreender termos sido, juntos, peixes de um mesmo mar?

RAIMUNDO:

Maria era também a folha em branco, barreira oposta ao rio impreciso que corre em regiões de alguma parte de nós mesmos. Nessa folha eu construirei um objeto sólido que depois imitarei, o qual depois me definirá. Penso para escolher: um poema, um desenho, um cimento armado — presenças precisas e inalteráveis, opostas a minha fuga.

JOAQUIM:

O amor comeu até os dias ainda não anunciados nas folhinhas. Comeu os minutos de adiantamento de meu relógio, os anos que as linhas de minha mão me asseguram. Comeu o futuro grande atleta, o futuro grande poeta. Comeu as futuras viagens em volta da terra, as futuras estantes em volta da sala.

JOÃO:

Donde me veio a idéia de que Teresa talvez participe de um universo privado, fechado em minha lembrança? Desse mundo que, através de minha fraqueza, compreendi ser o único onde me será possível cumprir os atos mais simples, como por exemplo, caminhar, beber um copo de água, escrever meu nome? Nada, nem mesmo Teresa.

RAIMUNDO:

Maria era também o sistema estabelecido de antemão, o fim onde chegar. Era a lucidez, que, ela só, nos pode dar um modo novo e completo de ver uma flor, de ler um verso.

JOAQUIM:

O amor comeu minha paz e minha guerra. Meu dia e minha noite. Meu inverno e meu verão. Comeu meu silêncio, minha dor de cabeça, meu medo da morte.

O ENGENHEIRO
(1942-1945)

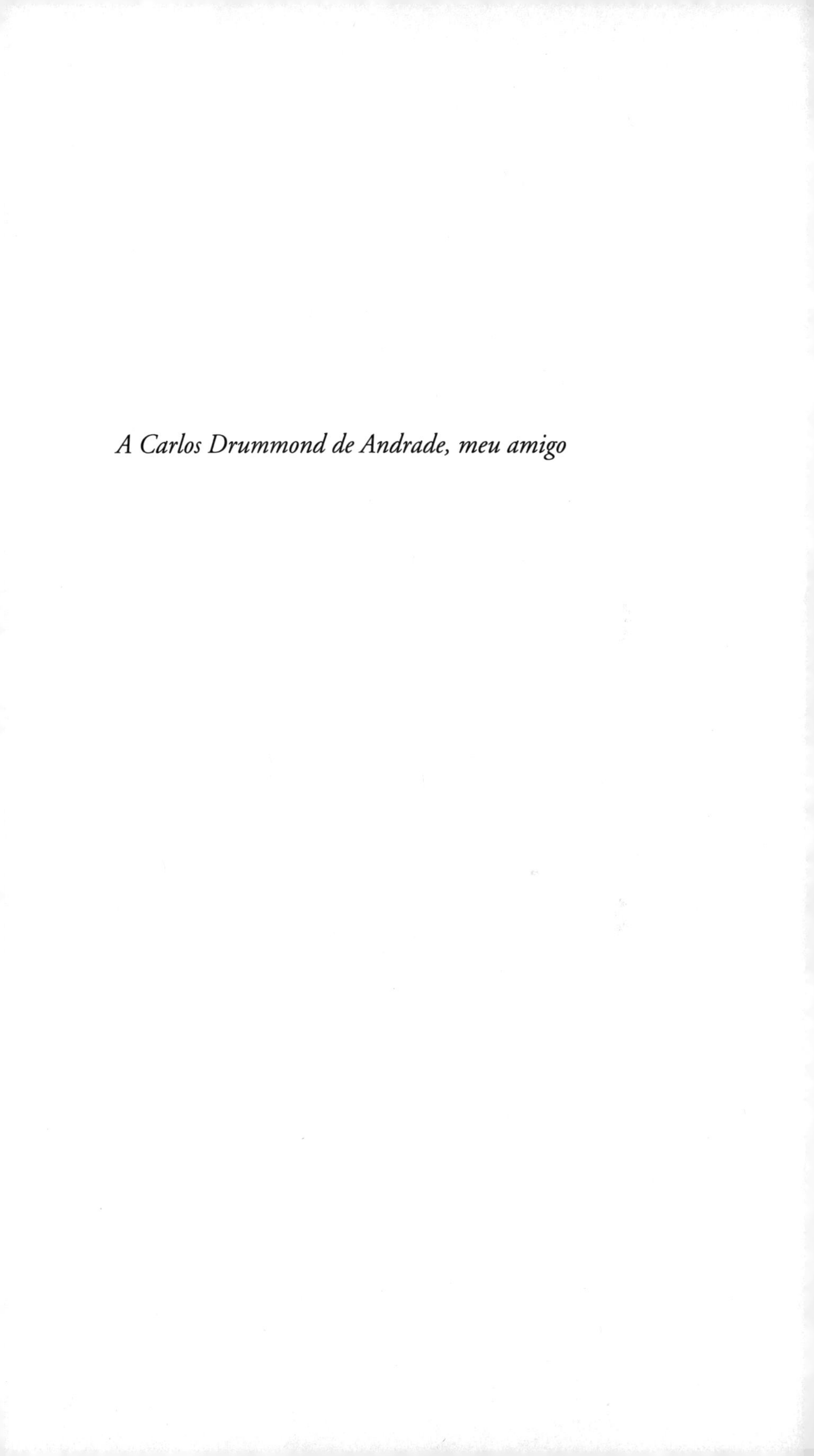

A Carlos Drummond de Andrade, meu amigo

"... machine à émouvoir..."
Le Corbusier

As nuvens

As nuvens são cabelos
crescendo como rios;
são os gestos brancos
da cantora muda;

são estátuas em vôo
à beira de um mar;
a flora e a fauna leves
de países de vento;

são o olho pintado
escorrendo imóvel;
a mulher que se debruça
nas varandas do sono;

são a morte (a espera da)
atrás dos olhos fechados;
a medicina, branca!
nossos dias brancos.

A paisagem zero

(pintura de Monteiro, V. do R.)

A luz de três sóis
ilumina as três luas
girando sobre a terra
varrida de defuntos.
Varrida de defuntos
mas pesada de morte:
como a água parada,
a fruta madura.
Morte a nosso uso
aplicadamente sofrida
na luz desses sóis
(frios sóis de cego);
nas luas de borracha
pintadas de branco e preto;
nos três eclipses
condenando o muro;
no duro tempo mineral
que afugentou as floras.
E morte ainda no objeto
(sem história, substância,
sem nome ou lembrança)
abismando a paisagem,
janela aberta sobre
o sonho dos mortos.

A bailarina

A bailarina feita
de borracha e pássaro
dança no pavimento
anterior do sonho.

A três horas de sono,
mais além dos sonhos,
nas secretas câmaras
que a morte revela.

Entre monstros feitos
a tinta de escrever,
a bailarina feita
de borracha e pássaro.

Da diária e lenta
borracha que mastigo.
Do inseto ou pássaro
que não sei caçar.

A viagem

Quem é alguém que caminha
toda a manhã com tristeza
dentro de minhas roupas, perdido
além do sonho e da rua?

Das roupas que vão crescendo
como se levassem nos bolsos
doces geografias, pensamentos
de além do sonho e da rua?

Alguém a cada momento
vem morrer no longe horizonte
de meu quarto, onde esse alguém
é vento, barco, continente.

Alguém me diz toda a noite
coisas em voz que não ouço.
Falemos na viagem, eu lembro.
Alguém me fala na viagem.

A mulher sentada

Mulher. Mulher e pombos.
Mulher entre sonhos.
Nuvens nos seus olhos?
Nuvens sobre seus cabelos.

(A visita espera na sala;
a notícia, no telefone;
a morte cresce na hora;
a primavera, além da janela.)

Mulher sentada. Tranqüila
na sala, como se voasse.

O engenheiro

A Antônio B. Baltar

A luz, o sol, o ar livre
envolvem o sonho do engenheiro.
O engenheiro sonha coisas claras:
superfícies, tênis, um copo de água.

O lápis, o esquadro, o papel;
o desenho, o projeto, o número:
o engenheiro pensa o mundo justo,
mundo que nenhum véu encobre.

(Em certas tardes nós subíamos
ao edifício. A cidade diária,
como um jornal que todos liam,
ganhava um pulmão de cimento e vidro.)

A água, o vento, a claridade,
de um lado o rio, no alto as nuvens,
situavam na natureza o edifício
crescendo de suas forças simples.

Os primos

Meus primos todos
em pedra, na praça
comum, no largo
de nome indígena.
No gesso branco,
os antigos dias,
os futuros mortos.
Nas mãos caiadas,
as impressões digitais
particulares, os gestos
familiares. Os movimentos
plantados em alicerces,
e os olhos, mas bulindo
de vida presa.
Meus primos todos
em mármore branco:
o funcionário, o atleta,
o desenhista, o cardíaco,
os bacharéis anuais.
Nos olhamos nos olhos,
cumprimentamos nossas
duras estátuas.
Entre nossas pedras

(uma ave que voa,
um raio de sol)
um amor mineral,
a simpatia, a amizade
de pedra a pedra
entre nossos mármores
recíprocos.

O fim do mundo

No fim de um mundo melancólico
os homens lêem jornais.
Homens indiferentes a comer laranjas
que ardem como o sol.

Me deram uma maçã para lembrar
a morte. Sei que cidades telegrafam
pedindo querosene. O véu que olhei voar
caiu no deserto.

O poema final ninguém escreverá
desse mundo particular de doze horas.
Em vez de juízo final a mim me preocupa
o sonho final.

A moça e o trem

O trem de ferro
passa no campo
entre telégrafos.
Sem poder fugir
sem poder voar
sem poder sonhar
sem poder ser telégrafo.

A moça na janela
vê o trem correr
ouve o tempo passar.
O tempo é tanto
que se pode ouvir
e ela o escuta passar
como se outro trem.

Cresce o oculto
elástico dos gestos:
a moça na janela
vê a planta crescer
sente a terra rodar:
que o tempo é tanto
que se deixa ver.

As estações

Uma chuva fina
caiu na toalha;
molhou as roupas,
encheu os copos;
esfriou os corações
enlaçados nas árvores
(do frio que separa
como os nomes).
O mundo cheio de rios,
lagos, recolhimentos
para nosso uso.

•

Num céu profundo,
máquinas de nuvens,
elefantes de nuvens
passam cantando.
Sob as mãos inertes
os móveis suam.
O ambiente doméstico
quer abrir as janelas:
sobre folhas secas,
sobre sonhos, fantasmas
mortos de sede.

•

Os homens podem
sonhar seus jardins
de matéria fantasma.
A terra não sonha,
floresce: na matéria
doce ao corpo: flor,
sonho fora do sono
e fora da noite, como
os gestos em que floresces
também (teu riso irregular,
o sol na tua pele).

•

Na fruta sobre a mesa
procuro um verso
que revele o outono;
procuro o ar
da estação; imagino
um freixo; exercito
truques, palavras
(ante a fruta madura
na beira da morte,
imóvel no tempo
que ela sonha parar).

A mesa

O jornal dobrado
sobre a mesa simples;
a toalha limpa,
a louça branca

e fresca como o pão.

A laranja verde:
tua paisagem sempre,
teu ar livre, sol
de tuas praias; clara

e fresca como o pão.

A faca que aparou
teu lápis gasto;
teu primeiro livro
cuja capa é branca

e fresca como o pão.

E o verso nascido
de tua manhã viva,
de teu sonho extinto,
ainda leve, quente

e fresco como o pão.

O fantasma na praia

Surpresa do encontro
com o fantasma na praia:

camisa branca,
corpo diáfano,
funções tranqüilas
no banho de sol.

O aperto de mão
ao fantasma na praia:

espectro de mão
sem linha de vida,
sem física, química,
história natural.

A cordial conversa
com o fantasma na praia:

voz clara e evidente
de enigma vencido;
a conversa tranqüila
uma fonte de sustos.

Os jogos infantis
com o fantasma na praia:

decifra logogrifos,
palavras cruzadas;
desenha uma flor
que é também um gato.

Semelhança com um barco
desse fantasma na praia:

correndo na areia
deixava um rastro de barco;
tinha o ar, entre os homens,
de um barco na areia.

O funcionário

No papel de serviço
escrevo teu nome
(estranho à sala
como qualquer flor)
mas a borracha
vem e apaga.

Apaga as letras,
o carvão do lápis,
não o nome,
vivo animal,
planta viva
a arfar no cimento.

O macio monstro
impõe enfim o vazio
à página branca;
calma à mesa,
sono ao lápis,
aos arquivos, poeira;

fome à boca negra
das gavetas, sede
ao mata-borrão;
a mim, a prosa
procurada, o conforto
da poesia ida.

O poema

A tinta e a lápis
escrevem-se todos
os versos do mundo.

Que monstros existem
nadando no poço
negro e fecundo?

Que outros deslizam
largando o carvão
de seus ossos?

Como o ser vivo
que é um verso,
um organismo

com sangue e sopro,
pode brotar
de germes mortos?

•

O papel nem sempre
é branco como
a primeira manhã.

É muitas vezes
o pardo e pobre
papel de embrulho;

é de outras vezes
de carta aérea,
leve de nuvem.

Mas é no papel,
no branco asséptico,
que o verso rebenta.

Como um ser vivo
pode brotar
de um chão mineral?

A árvore

O frio olhar salta pela janela
para o jardim onde anunciam
a árvore.

A árvore da vida? A árvore
da lua? A maternidade simples
da fruta?

A árvore que vi numa cidade?
O melhor homem? O homem além
e sem palavras?

Ou a árvore que nos homens
adivinho? Em suas veias, seus cabelos
ao vento?

(O frio olhar
volta pela janela
ao cimento frio
do quarto e da alma:

calma perfeita,
pura inércia,
onde jamais penetrará
o rumor

da oculta fábrica
que cria as coisas,
do oculto impulso
que explode em coisas

como na frágil folha
daquele jardim.)

A lição de poesia

1

Toda a manhã consumida
como um sol imóvel
diante da folha em branco:
princípio do mundo, lua nova.

Já não podias desenhar
sequer uma linha;
um nome, sequer uma flor
desabrochava no verão da mesa:

nem no meio-dia iluminado,
cada dia comprado
do papel, que pode aceitar,
contudo, qualquer mundo.

2

A noite inteira o poeta
em sua mesa, tentando
salvar da morte os monstros
germinados em seu tinteiro.

Monstros, bichos, fantasmas
de palavras, circulando,
urinando sobre o papel,
sujando-o com seu carvão.

Carvão de lápis, carvão
da idéia fixa, carvão
da emoção extinta, carvão
consumido nos sonhos.

3

A luta branca sobre o papel
que o poeta evita,
luta branca onde corre o sangue
de suas veias de água salgada.

A física do susto percebida
entre os gestos diários;
susto das coisas jamais pousadas
porém imóveis — naturezas vivas.

E as vinte palavras recolhidas
nas águas salgadas do poeta
e de que se servirá o poeta
em sua máquina útil.

Vinte palavras sempre as mesmas
de que conhece o funcionamento,
a evaporação, a densidade
menor que a do ar.

A Carlos Drummond de Andrade

Não há guarda-chuva
contra o poema
subindo de regiões onde tudo é surpresa
como uma flor mesmo num canteiro.

Não há guarda-chuva
contra o amor
que mastiga e cospe como qualquer boca,
que tritura como um desastre.

Não há guarda-chuva
contra o tédio:
o tédio das quatro paredes, das quatro
estações, dos quatro pontos cardeais.

Não há guarda-chuva
contra o mundo
cada dia devorado nos jornais
sob as espécies de papel e tinta.

Não há guarda-chuva
contra o tempo,
rio fluindo sob a casa, correnteza
carregando os dias, os cabelos.

A Joaquim Cardozo

Com teus sapatos de borracha
seguramente
é que os seres pisam
no fundo das águas.

Encontraste algum dia
sobre a terra
o fundo do mar,
o tempo marinho e calmo?

Tuas refeições de peixe;
teus nomes
femininos: Mariana; teu verso
medido pelas ondas;

a cidade que não consegues
esquecer,
aflorada no mar: Recife,
arrecifes, marés, maresias;

e marinha ainda a arquitetura
que calculaste:
tantos sinais da marítima nostalgia
que te fez lento e longo.

A Vicente do Rego Monteiro

Eu vi teus bichos
mansos e domésticos:
um motociclo,
gato e cachorro.
Estudei contigo
um planador,
volante máquina,
incerta e frágil.
Bebi da aguardente
que fabricaste,
servida às vezes
numa leiteira.
Mas sobretudo
senti o susto
de tuas surpresas.
E é por isso
que quando a mim
alguém pergunta
tua profissão
não digo nunca
que és pintor
ou professor
(palavras pobres

que nada dizem
de tais surpresas);
respondo sempre:
— É inventor,
trabalha ao ar livre
de régua em punho,
janela aberta
sobre a manhã.

A Newton Cardoso

Eu vi a bola
de futebol
correr no campo.
Que era ela?

Bola de tênis
alegre e viva?
Estenodatilógrafa
risonha e loura?

Depois saías
no seu encalço
como lembrança
que se persegue.

Depois saltavas
para alcançá-la
como a uma fruta
alta num galho.

Eu me orgulhava
de ser teu amigo
como em menino
tanto invejei

tuas mãos lavadas,
como ainda hoje
teu natural
em amar o sol.

A Paul Valéry

É o diabo no corpo
ou o poema
que me leva a cuspir
sobre meu não higiênico?

Doce tranqüilidade
do não-fazer; paz,
equilíbrio perfeito
do apetite de menos.

Doce tranqüilidade
da estátua na praça
entre a carne dos homens
que cresce e cria.

Doce tranqüilidade
do pensamento da pedra,
sem fuga, evaporação,
febre, vertigem.

Doce tranqüilidade
do homem na praia:
o calor evapora,
a areia absorve,

as águas dissolvem
os líquidos da vida;
e o vento dispersa
os sonhos, e apaga

a inaudível palavra
futura — apenas
saída da boca,
sorvida no silêncio.

Pequena ode mineral

Desordem na alma
que se atropela
sob esta carne
que transparece.

Desordem na alma
que de ti foge,
vaga fumaça
que se dispersa,

informe nuvem
que de ti cresce
e cuja face
nem reconheces.

Tua alma foge
como cabelos,
unhas, humores,
palavras ditas

que não se sabe
onde se perdem
e impregnam a terra
com sua morte.

Tua alma escapa
como este corpo
solto no tempo
que nada impede.

Procura a ordem
que vês na pedra:
nada se gasta
mas permanece.

Essa presença
que reconheces
não se devora
tudo em que cresce.

Nem mesmo cresce
pois permanece
fora do tempo
que não a mede,

pesado sólido
que ao fluido vence,
que sempre ao fundo
das coisas desce.

Procura a ordem
desse silêncio
que imóvel fala:
silêncio puro,

de pura espécie,
voz de silêncio,
mais do que a ausência
que as vozes ferem.

PSICOLOGIA DA COMPOSIÇÃO

com a
Fábula de Anfion
e
Antiode

(1946-1947)

A Lauro Escorel

"Riguroso horizonte."
Jorge Guillén

Fábula de Anfion

1. O deserto

Anfion chega ao deserto

No deserto, entre a
paisagem de seu
vocabulário, Anfion,

ao ar mineral isento
mesmo da alada
vegetação, no deserto

que fogem as nuvens
trazendo no bojo
as gordas estações,

Anfion, entre pedras
como frutos esquecidos
que não quiseram

amadurecer, Anfion,
como se preciso círculo
estivesse riscando

na areia, gesto puro
de resíduos, respira
o deserto, Anfion.

•

O deserto

(Ali, é um tempo claro
como a fonte
e na fábula.

Ali, nada sobrou da noite
como ervas
entre pedras.

Ali, é uma terra branca
e ávida
como a cal.

Ali, não há como pôr vossa tristeza
como a um livro
na estante.)

•

Sua flauta seca

Ao sol do deserto e
no silêncio atingido
como a uma amêndoa,
sua flauta seca:

sem a terra doce
de água e de sono;
sem os grãos do amor
trazidos na brisa,

sua flauta seca:
como alguma pedra
ainda branda, ou lábios
ao vento marinho.

•

O sol do deserto

(O sol do deserto
não intumesce a vida
como a um pão.

O sol do deserto
não choca os velhos
ovos do mistério.

Mesmo os esguios,
discretos trigais
não resistem a

o sol do deserto,
lúcido, que preside
a essa fome vazia.)

•

Anfion pensa ter encontrado a esterilidade que procurava

Sua mudez está assegurada
se a flauta seca:
será de mudo cimento,
não será um búzio

a concha que é o resto
de dia de seu dia:
exato, passará pelo relógio,
como de uma faca o fio.

2. O acaso

Encontro com o acaso

No deserto, entre os
esqueletos do antigo
vocabulário, Anfion,

no deserto, cinza
e areia como um
lençol, há dez dias

da última erva
que ainda o tentou
acompanhar, Anfion,

no deserto, mais, no
castiço linho do
meio-dia, Anfion,

agora que lavado
de todo canto,
em silêncio, silêncio

desperto e ativo como
uma lâmina, depara
o acaso, Anfion.

•

O acaso ataca e faz soar a flauta

Ó acaso, raro
animal, força
de cavalo, cabeça
que ninguém viu;
ó acaso, vespa

oculta nas vagas
dobras da alva
distração; inseto
vencendo o silêncio
como um camelo
sobrevive à sede,
ó acaso! O acaso
súbito condensou:
em esfinge, na
cachorra de esfinge
que lhe mordia
a mão escassa;
que lhe roía
o osso antigo
logo florescido
da flauta extinta:
áridas do exercício
puro do nada.

•

Tebas se faz

Diz a mitologia
(arejadas salas, de
nítidos enigmas
povoadas, mariscos
ou simples nozes
cuja noite guardada
à luz e ao ar livre
persiste, sem se dissolver)
diz, do aéreo
parto daquele milagre:

Quando a flauta soou
um tempo se desdobrou
do tempo, como uma caixa
de dentro de outra caixa.

3. Anfion em Tebas

Anfion busca
em Tebas
o deserto perdido

Entre Tebas, entre
a injusta sintaxe
que fundou, Anfion,

entre Tebas, entre
mãos frutíferas, entre
a copada folhagem

de gestos, no verão
que, único, lhe resta
e cujas rodas

quisera fixar
nas, ainda possíveis,
secas planícies

da alma, Anfion,
ante Tebas, como
a um tecido que

buscasse adivinhar
pelo avesso, procura
o deserto, Anfion.

•

Lamento diante de sua obra

"Esta cidade, Tebas,
não a quisera assim
de tijolos plantada,

que a terra e a flora
procuram reaver
a sua origem menor:

como já distinguir
onde começa a hera, a argila,
ou a terra acaba?

Desejei longamente
liso muro, e branco,
puro sol em si

como qualquer laranja;
leve laje sonhei
largada no espaço.

Onde a cidade
volante, a nuvem
civil sonhada?"

•

Anfion e a flauta

"Uma flauta: como
dominá-la, cavalo
solto, que é louco?

Como antecipar
a árvore de som
de tal semente?

Daquele grão de vento
recebido no açude
a flauta cana ainda?

Uma flauta: como prever
suas modulações,
cavalo solto e louco?

Como traçar suas ondas
antecipadamente, como faz,
no tempo, o mar?

A flauta, eu a joguei
aos peixes surdos-
mudos do mar."

Psicologia da composição

A Antonio Rangel Bandeira

I

Saio de meu poema
como quem lava as mãos.

Algumas conchas tornaram-se,
que o sol da atenção
cristalizou; alguma palavra
que desabrochei, como a um pássaro.

Talvez alguma concha
dessas (ou pássaro) lembre,
côncava, o corpo do gesto
extinto que o ar já preencheu;

talvez, como a camisa
vazia, que despi.

II

A Lêdo Ivo

Esta folha branca
me proscreve o sonho,
me incita ao verso
nítido e preciso.

Eu me refugio
nesta praia pura
onde nada existe
em que a noite pouse.

Como não há noite
cessa toda fonte;
como não há fonte
cessa toda fuga;

como não há fuga
nada lembra o fluir
de meu tempo, ao vento
que nele sopra o tempo.

III

Neste papel
pode teu sal
virar cinza;

pode o limão
virar pedra;
o sol da pele,
o trigo do corpo
virar cinza.

(Teme, por isso,
a jovem manhã
sobre as flores
da véspera.)

Neste papel
logo fenecem
as roxas, mornas
flores morais;
todas as fluidas
flores da pressa;
todas as úmidas
flores do sonho.

(Espera, por isso,
que a jovem manhã
te venha revelar
as flores da véspera.)

IV

O poema, com seus cavalos,
quer explodir
teu tempo claro; romper
seu branco fio, seu cimento
mudo e fresco.

(O descuido ficara aberto
de par em par;
um sonho passou, deixando
fiapos, logo árvores instantâneas
coagulando a preguiça.)

V

Vivo com certas palavras,
abelhas domésticas.

Do dia aberto
(branco guarda-sol)
esses lúcidos fusos retiram
o fio de mel
(do dia que abriu
também como flor)

que na noite
(poço onde vai tombar
a aérea flor)
persistirá: louro
sabor, e ácido,
contra o açúcar do podre.

VI

Não a forma encontrada
como uma concha, perdida
nos frouxos areais
como cabelos;

não a forma obtida
em lance santo ou raro,
tiro nas lebres de vidro
do invisível;

mas a forma atingida
como a ponta do novelo
que a atenção, lenta,
desenrola,

aranha; como o mais extremo
desse fio frágil, que se rompe
ao peso, sempre, das mãos
enormes.

VII

É mineral o papel
onde escrever
o verso; o verso
que é possível não fazer.

São minerais
as flores e as plantas,
as frutas, os bichos
quando em estado de palavra.

É mineral
a linha do horizonte,
nossos nomes, essas coisas
feitas de palavras.

É mineral, por fim,
qualquer livro:
que é mineral a palavra
escrita, a fria natureza

da palavra escrita.

VIII

Cultivar o deserto
como um pomar às avessas.

(A árvore destila
a terra, gota a gota;
a terra completa,
cai, fruto!

Enquanto na ordem
de outro pomar
a atenção destila
palavras maduras.)

Cultivar o deserto
como um pomar às avessas:

então, nada mais
destila; evapora;
onde foi maçã
resta uma fome;

onde foi palavra
(potros ou touros
contidos) resta a severa
forma do vazio.

Antiode
(contra a poesia dita profunda)

A

Poesia, te escrevia:
flor! conhecendo
que és fezes. Fezes
como qualquer,

gerando cogumelos
(raros, frágeis cogumelos)
no úmido
calor de nossa boca.

Delicado, escrevia:
flor! (Cogumelos
serão flor? Espécie
estranha, espécie

extinta de flor, flor
não de todo flor,
mas flor, bolha
aberta no maduro.)

Delicado, evitava
o estrume do poema,
seu caule, seu ovário,
suas intestinações.

Esperava as puras,
transparentes florações,
nascidas do ar, no ar,
como as brisas.

B

Depois, eu descobriria
que era lícito
te chamar: flor!
(Pelas vossas iguais

circunstâncias? Vossas
gentis substâncias? Vossas
doces carnações? Pelos
virtuosos vergéis

de vossas evocações?
Pelo pudor do verso
— pudor de flor —
por seu tão delicado

pudor de flor,
que só se abre
quando a esquece o
sono do jardineiro?)

Depois eu descobriria
que era lícito
te chamar: flor!
(flor, imagem de

duas pontas, como
uma corda.) Depois
eu descobriria
as duas pontas

da flor; as duas
bocas da imagem
da flor: a boca
que come o defunto

e a boca que orna
o defunto com outro
defunto, com flores
— cristais de vômito.

C

Como não invocar o
vício da poesia: o
corpo que entorpece
ao ar de versos?

(Ao ar de águas
mortas, injetando
na carne do dia
a infecção da noite.)

Fome de vida? Fome
de morte, freqüentação
da morte, como de
algum cinema.

O dia? Árido.
Venha, então, a noite,
o sono. Venha,
por isso, a flor.

Venha, mais fácil e
portátil na memória,
o poema, flor no
colete da lembrança.

Como não invocar,
sobretudo, o exercício
do poema, sua prática,
sua lânguida horti-

cultura? Pois estações
há, do poema, como
da flor, ou como
no amor dos cães;

e mil mornos
enxertos, mil maneiras
de excitar negros
êxtases; e a morna

espera de que se
apodreça em poema,
prévia exalação
da alma defunta.

D

Poesia, não será esse
o sentido em que
ainda te escrevo:
flor! (Te escrevo:

flor! Não *uma*
flor, nem aquela
flor-virtude — em
disfarçados urinóis.)

Flor é a palavra
flor, verso inscrito
no verso, como as
manhãs no tempo.

Flor é o salto
da ave para o vôo;
o salto fora do sono
quando seu tecido

se rompe; é uma explosão
posta a funcionar,
como uma máquina,
uma jarra de flores.

E

Poesia, te escrevo
agora: fezes, as
fezes vivas que és.
Sei que outras

palavras és, palavras
impossíveis de poema.
Te escrevo, por isso,
fezes, palavra leve,

contando com sua
breve. Te escrevo
cuspe, cuspe, não
mais; tão cuspe

como a terceira
(como usá-la num
poema?) a terceira
das virtudes teologais.

O CÃO SEM PLUMAS
(1949-1950)

A Joaquim Cardozo,
poeta do Capibaribe

I

(Paisagem do Capibaribe)

§ A cidade é passada pelo rio
como uma rua
é passada por um cachorro;
uma fruta
por uma espada.

§ O rio ora lembrava
a língua mansa de um cão,
ora o ventre triste de um cão,
ora o outro rio
de aquoso pano sujo
dos olhos de um cão.

§ Aquele rio
era como um cão sem plumas.
Nada sabia da chuva azul,
da fonte cor-de-rosa,
da água do copo de água,
da água de cântaro,
dos peixes de água,
da brisa na água.

§ Sabia dos caranguejos
de lodo e ferrugem.
Sabia da lama
como de uma mucosa.
Devia saber dos polvos.
Sabia seguramente
da mulher febril que habita as ostras.

§ Aquele rio
jamais se abre aos peixes,
ao brilho,
à inquietação de faca
que há nos peixes.
Jamais se abre em peixes.

§ Abre-se em flores
pobres e negras
como negros.
Abre-se numa flora
suja e mais mendiga
como são os mendigos negros.
Abre-se em mangues
de folhas duras e crespos
como um negro.

§ Liso como o ventre
de uma cadela fecunda,
o rio cresce
sem nunca explodir.
Tem, o rio,
um parto fluente e invertebrado
como o de uma cadela.

§ E jamais o vi ferver
(como ferve
o pão que fermenta).
Em silêncio,
o rio carrega sua fecundidade pobre,
grávido de terra negra.

§ Em silêncio se dá:
em capas de terra negra.
em botinas ou luvas de terra negra,
para o pé ou a mão
que mergulha.

§ Como às vezes
passa com os cães,
parecia o rio estagnar-se.
Suas águas fluíam então
mais densas e mornas;
fluíam com as ondas
densas e mornas
de uma cobra.

§ Ele tinha algo, então,
da estagnação de um louco.
Algo da estagnação
do hospital, da penitenciária, dos asilos,
da vida suja e abafada
(de roupa suja e abafada)
por onde se veio arrastando.

§ Algo da estagnação
dos palácios cariados,
comidos
de mofo e erva-de-passarinho.
Algo da estagnação
das árvores obesas
pingando os mil açúcares
das salas de jantar pernambucanas,
por onde se veio arrastando.

§ (É nelas,
mas de costas para o rio,
que "as grandes famílias espirituais" da cidade
chocam os ovos gordos
de sua prosa.
Na paz redonda das cozinhas,
ei-las a revolver viciosamente
seus caldeirões
de preguiça viscosa.)

§ Seria a água daquele rio
fruta de alguma árvore?
Por que parecia aquela
uma água madura?
Por que sobre ela, sempre,
como que iam pousar moscas?

§ Aquele rio
saltou alegre em alguma parte?
Foi canção ou fonte
em alguma parte?
Por que então seus olhos
vinham pintados de azul
nos mapas?

II

(Paisagem do Capibaribe)

§ Entre a paisagem
o rio fluía
como uma espada de líquido espesso.
Como um cão
humilde e espesso.

§ Entre a paisagem
(fluía)
de homens plantados na lama;
de casas de lama
plantadas em ilhas
coaguladas na lama;
paisagem de anfíbios
de lama e lama.

§ Como o rio
aqueles homens
são como cães sem plumas
(um cão sem plumas
é mais
que um cão saqueado;
é mais
que um cão assassinado.

§ Um cão sem plumas
é quando uma árvore sem voz.
É quando de um pássaro
suas raízes no ar.
É quando a alguma coisa
roem tão fundo
até o que não tem).

§ O rio sabia
daqueles homens sem plumas.
Sabia
de suas barbas expostas,
de seu doloroso cabelo
de camarão e estopa.

§ Ele sabia também
dos grandes galpões da beira dos cais
(onde tudo
é uma imensa porta
sem portas)
escancarados
aos horizontes que cheiram a gasolina.

§ E sabia
da magra cidade de rolha,
onde homens ossudos,
onde pontes, sobrados ossudos
(vão todos
vestidos de brim)
secam
até sua mais funda caliça.

§ Mas ele conhecia melhor
os homens sem pluma.
Estes
secam
ainda mais além
de sua caliça extrema;
ainda mais além
de sua palha;
mais além
da palha de seu chapéu;
mais além
até
da camisa que não têm;
muito mais além do nome
mesmo escrito na folha
do papel mais seco.

§ Porque é na água do rio
que eles se perdem
(lentamente
e sem dente).
Ali se perdem
(como uma agulha não se perde).
Ali se perdem
(como um relógio não se quebra).

§ Ali se perdem
como um espelho não se quebra.
Ali se perdem
como se perde a água derramada:
sem o dente seco
com que de repente
num homem se rompe
o fio de homem.

§ Na água do rio,
lentamente,
se vão perdendo
em lama; numa lama
que pouco a pouco
também não pode falar:
que pouco a pouco
ganha os gestos defuntos
da lama;
o sangue de goma,
o olho paralítico
da lama.

§ Na paisagem do rio
difícil é saber
onde começa o rio;
onde a lama
começa do rio;
onde a terra
começa da lama;
onde o homem,
onde a pele
começa da lama;
onde começa o homem
naquele homem.

§ Difícil é saber
se aquele homem
já não está
mais aquém do homem;
mais aquém do homem
ao menos capaz de roer
os ossos do ofício;
capaz de sangrar
na praça;
capaz de gritar
se a moenda lhe mastiga o braço;
capaz
de ter a vida mastigada
e não apenas
dissolvida
(naquela água macia
que amolece seus ossos
como amoleceu as pedras).

III

(Fábula do Capibaribe)

§ A cidade é fecundada
por aquela espada
que se derrama,
por aquela
úmida gengiva de espada.

§ No extremo do rio
o mar se estendia,
como camisa ou lençol,
sobre seus esqueletos
de areia lavada.

§ (Como o rio era um cachorro,
o mar podia ser uma bandeira
azul e branca
desdobrada
no extremo do curso
— ou do mastro — do rio.

§ Uma bandeira
que tivesse dentes:
que o mar está sempre
com seus dentes e seu sabão
roendo suas praias.

§ Uma bandeira
que tivesse dentes:
como um poeta puro
polindo esqueletos,
como um roedor puro,
um polícia puro
elaborando esqueletos,
o mar,
com afã,
está sempre outra vez lavando
seu puro esqueleto de areia.

§ O mar e seu incenso,
o mar e seus ácidos,
o mar e a boca de seus ácidos,
o mar e seu estômago
que come e se come,
o mar e sua carne
vidrada, de estátua,
seu silêncio, alcançado
à custa de sempre dizer
a mesma coisa,
o mar e seu tão puro
professor de geometria.)

§ O rio teme aquele mar
como um cachorro
teme uma porta entretanto aberta,
como um mendigo,
a igreja aparentemente aberta.

§ Primeiro,
o mar devolve o rio.
Fecha o mar ao rio
seus brancos lençóis.
O mar se fecha
a tudo o que no rio
são flores de terra,
imagem de cão ou mendigo.

§ Depois,
o mar invade o rio.
Quer
o mar
destruir no rio
suas flores de terra inchada,
tudo o que nessa terra
pode crescer e explodir,
como uma ilha,
uma fruta.

§ Mas antes de ir ao mar
o rio se detém
em mangues de água parada.
Junta-se o rio
a outros rios
numa laguna, em pântanos
onde, fria, a vida ferve.

§ Junta-se o rio
a outros rios.
Juntos,
todos os rios
preparam sua luta
de água parada,
sua luta
de fruta parada.

§ (Como o rio era um cachorro,
como o mar era uma bandeira,
aqueles mangues
são uma enorme fruta:

§ A mesma máquina
paciente e útil
de uma fruta;
a mesma força
invencível e anônima
de uma fruta
— trabalhando ainda seu açúcar
depois de cortada —.

§ Como gota a gota
até o açúcar,
gota a gota
até as coroas de terra;
como gota a gota
até uma nova planta,
gota a gota
até as ilhas súbitas
aflorando alegres.)

IV

(Discurso do Capibaribe)

§ Aquele rio
está na memória
como um cão vivo
dentro de uma sala.
Como um cão vivo
dentro de um bolso.
Como um cão vivo
debaixo dos lençóis,
debaixo da camisa,
da pele.

§ Um cão, porque vive,
é agudo.
O que vive
não entorpece.
O que vive fere.
O homem,
porque vive,
choca com o que vive.
Viver
é ir entre o que vive.

§ O que vive
incomoda de vida
o silêncio, o sono, o corpo
que sonhou cortar-se
roupas de nuvens.
O que vive choca,
tem dentes, arestas, é espesso.
O que vive é espesso
como um cão, um homem,
como aquele rio.

§ Como todo o real
é espesso.
Aquele rio
é espesso e real.
Como uma maçã
é espessa.
Como um cachorro
é mais espesso do que uma maçã.
Como é mais espesso
o sangue do cachorro
do que o próprio cachorro.
Como é mais espesso
um homem
do que o sangue de um cachorro.
Como é muito mais espesso
o sangue de um homem
do que o sonho de um homem.

§ Espesso
como uma maçã é espessa.
Como uma maçã
é muito mais espessa
se um homem a come
do que se um homem a vê.
Como é ainda mais espessa
se a fome a come.
Como é ainda muito mais espessa
se não a pode comer
a fome que a vê.

§ Aquele rio
é espesso
como o real mais espesso.
Espesso
por sua paisagem espessa,
onde a fome
estende seus batalhões de secretas
e íntimas formigas.

§ E espesso
por sua fábula espessa;
pelo fluir
de suas geléias de terra;
ao parir
suas ilhas negras de terra.

§ Porque é muito mais espessa
a vida que se desdobra
em mais vida,
como uma fruta
é mais espessa
que sua flor;
como a árvore
é mais espessa
que sua semente;
como a flor
é mais espessa
que sua árvore,
etc. etc.

§ Espesso,
porque é mais espessa
a vida que se luta
cada dia,
o dia que se adquire
cada dia
(como uma ave
que vai cada segundo
conquistando seu vôo).

PRIMEIROS POEMAS (1937-1940)

“Junto a ti esquecerei...”

I

Junto a ti esquecerei as inúmeras partidas
— as cordas e as amarras nunca se quebraram
e talvez por isso eu permanecerei imóvel sob a tua influência...
Tu pesarás para mim como produto de âncoras
como a pedra amarrada do pescoço do pecador.
Os portos passarão a ser beira de cais
as terras longínquas nada mais me dizem
— quebrei a bússola para evitar a tentação.
Tua presença é poderosa como urros na floresta.
Sinto que extingues em mim
a sombra dos navegadores.

II

A tua atitude te eleva para o alto.
Vejo que cortaste definitivamente todas as amarras.
Daqui eu adivinho os olhos dos homens
perdidos no tempo que nada descobrirão de ti.
Deixa que os não-poetas falem de tua beleza,
esses nunca compreenderão o que há em ti de sombra
de sementes germinando, de vozes de cavernas.
Nem ao menos que é o teu olhar que nos aproxima
que nos torna irmãos para o resto do tempo.

Eu te reconheceria entre todas, porque tua presença eu a
[pressinto.
Deixa que tuas formas eles a tomem pela essência.
Esses te perderão ainda mais
e nunca compreenderão tuas inúmeras sugestões
que tu mesma desconheces.

III

Esquecerei os teus convites de fuga.
As coisas presentes serão absolutamente insignificantes.
Sentir-me-ei em tua presença como o primeiro homem
que se ia apoderando de todas as formas desconhecidas.

IV

Esquecerei todos os convites de fuga.
Os portos serão para nós apenas
as âncoras e as amarras.
Nossos olhos não mais distinguirão
caravelas e transatlânticos sobre o mar.
Nossos ouvidos não mais perceberão
o barulho das ondas que são um chamamento constante.
Então leremos poetas bucólicos
debaixo de uma árvore que deverá ser frondosa.
Indefinidamente rodaremos em torno dela como num carrossel
indefinidamente estarás comigo.

1937

Pirandello I

A paisagem parece um cenário de teatro.
É uma paisagem arrumada.
Os homens passam tranqüilamente
com a consciência de que estão representando.
Todos passam indiferentes
como se fosse a vida ela mesma.
O cachorro que atravessa a rua
e que deveria ser faminto
tem um ar calmo de sesta.
A vida ela própria não parece representada:
as nuvens correm no céu
mas eu estou certo de que a paisagem é artificial
eu que conheço a ordem do diretor:
— Não olhem para a objetiva!
e sei que os homens são grandes artistas
o cachorro é um grande artista.

Pirandello II

Sei que há milhares de homens
se confundindo neste momento.
O diretor apoderou-se de todas as consciências
num saco de víspora.
Fez depois uma multiplicação
que não era bem uma multiplicação de pães
de um por dez por quarenta mil.
Tinha um gesto de quem distribui flores.
A mim me coube um frade
um pianista e um carroceiro.
Eu era um artista fracassado
que correra todos os bastidores
vivia cansado como os cavalos dos que não são heróis
serei um frade
um carroceiro e um pianista
e terei de me enforcar três vezes.

1937

Poesia

Deixa falar todas as coisas visíveis
deixa falar a aparência das coisas que vivem no tempo
deixa, suas vozes serão abafadas.
A voz imensa que dorme no mistério sufocará a todas.
Deixa, que tudo só frutificará
na atmosfera sobrenatural da poesia.

1937

Episódios para cinema

I

Eu pedia angustiadamente o auxílio do cavalo de Tom Mix. Mas nenhum sinal de cavalgada, nenhum rumor de tropel, aparecia na curva do mar. E eu não era absolutamente culpado. E quando finalmente! apareceu, era Napoleão que vinha. Napoleão pareceu-me sofrer de qualquer doença; achei-o pálido e abatido. Mais uma vez era ele quem me vinha desmanchar os planos, desta vez brandindo uma enorme laranja que me descarregou na cabeça, eu que sendo louro há anos não como laranjas. Ela tomou também parte no ocorrido, perguntando em altos gritos onde estava. Podia eu saber? Não havia aparelhos de rádio no aposento e os gritos de Napoleão dizendo que voltava para Culver City nos asfixiavam a todos. Até mesmo o comedor de fogo do circo, que se foi afogando devagar no rio para apagar os morrões acesos na batalha do Riachuelo.

II

Na terceira esquina, sem transição aparecem os anjos. Não eram anjos de fogo nem estavam vestidos de policiais. Mas diante deles os homens mais humildes passaram a assumir as formas mais descompassadas. Enquanto isso um terror silencioso se apoderava de outros, multiplicando-lhes os gestos com que improvisavam aquelas explicações matinais: VOCABULÁRIO! CARBURADOR! CINEMATÓGRAFO! Um rosto violento (teu rosto) se foi delineando nos cartazes da parede. E, imperceptível, começou a circular por debaixo dos bancos a certeza de que não mais haveria espetáculos nos cinemas.

III

Em meu quarto, às sextas-feiras, era comum reunirem-se algumas pessoas, quase sempre amigos que me tinham chegado em sucessivas viagens. Eram todos muito pontuais, e, o que é mais, não se podiam nunca libertar de certos instrumentos próprios de suas profissões. Devo fazer notar que esses instrumentos eles os tinham por ocasião do nosso primeiro encontro. Assim, havia um eletricista com seus pombos-correio, um automobilista (hoje famoso) com sua máquina último modelo, todo um regimento de inválidos de guerra (estes organizavam com freqüência intermináveis paradas), acrobatas de circo (o coração pintado nos olhos) etc... As reuniões eram muito divertidas e se passavam sem nenhum constrangimento aparente. Todos se exibiam indiferentemente, embora os fantasmas do poeta silencioso ganhassem sempre os maiores aplausos com seus passes de mágica.

IV

Numa dessas reuniões falou-se certa vez de um famoso aviador, cuja volta o rádio estivera anunciando. Todos declaravam conhecê-lo e privar de sua intimidade, embora não se chegasse a um acordo quanto a sua estatura e cor de seus cabelos. Isso concorreu para que se formasse uma atmosfera de tal modo favorável que um silêncio de solidariedade baixou em toda a assembléia. Desde esse momento a presença do aviador tornou-se indiscutível. E com efeito ele chegou pouco depois, sem dúvida trazido por essa aliança misteriosa, porque a verdade é que ele nunca me ignorara tão absolutamente como algumas horas atrás.

1938

O sábio louco

O sábio louco ia arrumando pacientemente
os pedaços de corpos humanos que caíam
que caíam como chuva
que vinham nas asas das abelhas
e nos sinais dos telégrafos Morse.

Depois da beira do abismo
um a um os corpos iam se despencando
assim mesmo de braços cruzados
atropelando no caminho
os automóveis e as almas penadas.

1938

Poema

Deixa que no teu pensamento viajem apenas
os pensamentos que estiveram presentes
na cabeça do primeiro homem
quando ele foi ao teatro.
As estradas em *long-shot* todas
se reuniram numa só estrada
que corria entre representações ideais
e que ele descobriu estarem presentes
na retina do primeiro homem
quando ele foi ao teatro.

1938

A poesia da noite

Sobre o pano da mesa e nos jarros de um gosto improvável
colocaram flores e gestos de parentes extintos
que um microfone cuidadosamente disfarçado
irradiou toda a noite para muito longe.

1938

A hora única

Os homens perderam-se
depois da madrugada.
Soprou do mar, das montanhas
do amigo morto
e dos amantes jamais suspeitados
uma viração imprevista
e a escuridão
que retardou para sempre
o aparecimento do sol
fez secar as flores colhidas
que aviões misteriosos deixaram cair
para serem distribuídas em profusão
entre as noivas de branco
nas salas de visita.

1938

Janelas

Recordações inumeráveis
correm silenciosamente
nas margens do rio
(dos olhos do homem)

e os últimos repuxos
e as últimas flores
secam inexplicavelmente
nos olhos do homem.

1938

C.D.A.

Uma imensa ternura disfarçada
chegara de Belo Horizonte
pelos últimos comboios
e os versos do poeta municipal
que viúvos traziam entre flores
vinham em aeroplanos
e invadiam os arranha-céus federais.

1938

Introdução ao instante

Podiam-se notar uma ausência completa de transformações e um monarca asiático em visita a Londres.

Crimes invisíveis sob a lua foram revelados e alguns dos movimentos iniciais jamais pressentidos vieram à tona.

Para sempre permanecerão nos pólos mais afastados leões de pedra impenetráveis como esfinges.

1938

Noturno telegráfico

Os despachos, insurmontáveis! e os enigmas. Havia mensagens irrealizadas entre outras. Gestos principalmente. Forças que compareciam: um anjo, um telefone, o silêncio.

Principalmente o silêncio, que nada parecia absorver, que obedecia a outra ordem de criação.

Intransponível, mesmo na absoluta imobilidade de pensamento que eu me propunha. Forças, sobretudo, que não se catalogavam. Nem para o anjo, nem para a Torre Eiffel, nem para o Agente Federal.

UMA ENORME AMEAÇA PESAVA NÃO SE SABE SOBRE QUE CIDADE NO TELÉGRAFO NINGUÉM PENSAVA EM SUICÍDIO

[sem data; 1938?]

Poema

As palavras tornaram-se inúteis
nesta manhã que desceu
muito mais leve muito mais clara.
Os homens trocam sorrisos
subitamente esquecidos
de que os relógios vão dar meia-noite.

Mas nos países sem palavras
os generais incendeiam pianos
dos pianos heróicos nascem florestas
e outros lamentos são gritados
para as janelas acesas
que guardam antigos remorsos.

1938

O momento sem direção

A Carlos Drummond de Andrade

Os elevadores subiam em movimentos coordenados
invariavelmente tínhamos no sobretudo os jornais da manhã
reportagens imediatas que destacávamos
no telégrafo os suicídios em massa, as comunicações perturbadas
e as recordações viajando como *miss* nos trens noturnos.
Encontrávamos na rua versos esquecidos na véspera
e homens que partiam para encontros com amigos no Oriente.
Meia-noite no alto das cidades ameaçadas
assistindo-as confabular à distância.

1938

Guerra

A poesia circula livremente entre os bloqueios.
Os grandes poemas são compostos em Morse.
Sobre o espaço e o tempo abolidos
generais sonham planos definitivos
entretanto forças formas brancas
pousaram nos alto-falantes das trincheiras.

1938

"Eu caminhava as ruas..."

Eu caminhava as ruas de uma grande cidade
os acontecimentos nunca me encontravam.
Em vão dobrava as esquinas
lia os jornais.
Todos os lugares do crime estavam tomados.

Alguém devia receber
mensagens impossíveis
para os telégrafos mecânicos
voando sobre os telhados.
Alguém partia com os pássaros.
Alguém devia perceber
que as pontes conduzem a Marte.

Os cronômetros traziam presos
o tempo e os homens de negócio.
Tu voltavas a cada trem do horário
com regularidade e nenhum imprevisto.

Podiam-se explicar
sem sombra de tempestade
as criações científicas mais evidentemente a magia negra.

1940

"Acontece que ele ignorava..."

Acontece que ele ignorava profundamente de onde viera. Quando interrogado a respeito (encontrava-me com ele quase sempre num café-concerto que havia à beira-mar), limitava-se a ler nomes de fabricantes de cerveja. É verdade que me dissera certa vez sentir na memória o peso das minas. Mas não acrescentara mais nada. Além do que não se podia contar nem mesmo com a indicação de possíveis encontros. Todos os indícios (inclusive a voz perdida na encruzilhada, e que anunciava insistentemente o fim da guerra) ainda eram muito pouco, o que ele mesmo compreendia facilmente. E quanto aos anjos e foliões mascarados, estes estavam indiferentes em sua memória.

Encontros propriamente não tivera, nem essas amizades de estrada tão comuns em outros povos. Isso foi aliás o que a Bolsa de Londres informou quando interrogada pelo telefone. Um rapaz alto e magro, vestido de gladiador? Era impossível a identificação, e a dificuldade crescia porque aquela era a hora exata da saída das *soirées*. E esses sinais quando divulgados ainda levantaram maior celeuma entre as populações selvagens. Porque todos reconheciam nele o pai morto, o salteador e o filho desaparecido. Em vão o agente federal correu os estúdios, os palcos e os balneários. Em vão porque as únicas informações recebidas diziam respeito a escavações em anfiteatros soterrados e uma possível estátua representando-o que por acaso encontrassem esclareceria muito pouco.

Havia, é verdade, o peso das minas que ele sentia na memória. Ao que parece, ele via desfilar diante do mar galerias subterrâneas, praias de areia branca e inacessível, martelos dentro da noite. Mas assim mesmo de que serviam? Ele os pressentia em sua morte próxima e irremediável. E os mineiros de todo o mundo, reunidos num *music-hall* de Londres para decifrar o mistério, puseram-se a rir subitamente. Como ele se referisse constantemente às virgens de não sei que pintor de um país ignorado, pensaram em possíveis galerias por ele visitadas. Mas os catálogos e os guias haviam sido executados por terem atacado a carruagem do rei. Tampouco entre as multidões de extras do cinema foi reconhecido. As sugestões dos mistérios inenarráveis permaneciam mudas diante dele. Foi então que lhe chegou a idéia de fazer alguma coisa para estimular o progresso universal. Para isso, além de ginástica sueca a horas certas e sempre alta madrugada, passou a atirar pedras ao mar e a fazer longas caminhadas de bicicleta. Alguém lembrou-lhe escrever novelas. Mas ele já esgotado das sucessivas correrias (chegara a arrebentar diariamente sete cavalos) preferiu mas foi tentar uma anulação definitiva de si mesmo, gravando na Muralha da China algarismos de uma monstruosidade implacável. Quando o fui visitar já havia escrito setenta mil vezes o número sete. Estava talvez mais alegre e falava enquanto ia escrevendo. A certa altura tentou esconder-me alguma coisa. Mas envergonhado disso que seria um procedimento injustificável para comigo (eu que nunca lhe negara pão e circo) terminou por mostrar o que escondia: uma lista de hieroglifos que ficaram irrevelados. Fiz-lhe então perguntas sobre Babilônia,

Pirandello e sobre o calçamento das grandes cidades. Principalmente sobre Babilônia, onde talvez estivessem localizadas as minas. Foi então que ele me confessou jamais haver trabalhado nessa espécie de serviços.

Suspendi de um golpe as investigações e mandei que o agente federal se recolhesse à Scotland Yard.

Sua inscrição atingia nesse momento a oitenta mil vezes o número sete e o extenso muro começou a ruir silenciosamente com o peso descomunal. O mar que ficava perto avançava também silenciosamente. Um pássaro voou, roçando minha face. Eu a tinha e às mãos cobertas de um carvão negro e amargo. Sentia-me como um ex-combatente desalojado ou um centauro perdido dentro da noite.

Perto de mim ele começou a pedir uma lâmpada elétrica ou uma estrela qualquer (ele ainda não se retirara a despeito da catástrofe iminente) que julguei ser para algum efeito surpreendente de montagem, mas que ele explicou necessitar para enxugar as mãos molhadas de orvalho.

1940

A asa

Eu não sinto a asa
que bote no meu sono
o avião? O correio?

Eu não ouço a asa
o dia todo em meus ouvidos.
O pensamento! A usina!

Eu não alcanço a asa
a serenidade da asa
o vôo da asa.

Ou a asa do retrato na parede
a asa dos sonhos
a asa dos navios.

Eu nunca penso na asa
com que jamais despertei
nenhuma manhã.

[sem data; 1944?]

APÊNDICES

Cronologia

1920 – Filho de Luiz Antônio Cabral de Melo e de Carmem Carneiro-Leão Cabral de Melo, nasce, no Recife, João Cabral de Melo Neto.

1930 – Depois de passar a infância nos municípios de São Lourenço da Mata e Moreno, volta para o Recife.

1935 – Obtém destaque no time juvenil de futebol do Santa Cruz Futebol Clube. Logo, porém, abandona a carreira de atleta.

1942 – Em edição particular, publica seu primeiro livro, *Pedra do sono*.

1945 – Publica *O engenheiro*. No mesmo ano, ingressa no Itamaraty.

1947 – Muda-se, a serviço do Itamaraty, para Barcelona, lugar decisivo para a sua obra. Compra uma tipografia manual e imprime, desde então, textos de autores brasileiros e espanhóis. Nesse mesmo ano trava contato com os espanhóis Joan Brossa e Antoni Tàpies.

1950 – Publica *O cão sem plumas*. Em Barcelona, as Editions de l'Oc publicam o ensaio *Joan Miró*, com gravuras originais do pintor. O Itamaraty o transfere para Londres.

1952 – Sai no Brasil, em edição dos *Cadernos de cultura do MEC*, o ensaio *Joan Miró*. É acusado de subversão e retorna ao Brasil.

1953 – O inquérito é arquivado.

1954 – *O rio*, redigido no ano anterior, recebe o Prêmio José de Anchieta, concedido pela Comissão do IV Centenário de São Paulo, que também imprime uma edição do texto. A Editora Orfeu publica uma edição de seus *Poemas reunidos*. Retorna às funções diplomáticas.

1955 – Recebe, da Academia Brasileira de Letras, o Prêmio Olavo Bilac.

1956 – Sai, pela Editora José Olympio, *Duas águas*. Além dos livros anteriores, o volume contém *Paisagens com figuras*, *Uma faca só lâmina* e *Morte e vida severina*. Volta a residir na Espanha.

1958 – É transferido para Marselha, França.

1960 – Em Lisboa, publica *Quaderna* e, em Madri, *Dois parlamentos*. Retorna para a Espanha, trabalhando agora em Madri.

1961 – Reunindo *Quaderna* e *Dois parlamentos*, junto com o inédito *Serial*, a Editora do Autor publica *Terceira feira*.

1964 – É nomeado um dos representantes da delegação brasileira nas Nações Unidas, em Genebra.

1966 – Com música de Chico Buarque de Holanda, o Teatro da Universidade Católica de São Paulo (Tuca) monta *Morte e vida severina*, com estrondoso sucesso. A peça é encenada em diversas cidades brasileiras e, depois, em Portugal e na França. Publica *A educação pela pedra*, que recebe vários prêmios, entre eles o Jabuti. O Itamaraty o transfere para Berna.

1968 – A Editora Sabiá publica a primeira edição de suas *Poesias completas*. É eleito, na vaga deixada por Assis Chateaubriand, para ocupar a cadeira 37 da Academia Brasileira de Letras. Retorna para Barcelona.

1969 – Com recepção de José Américo de Almeida, toma posse na Academia Brasileira de Letras. É transferido para Assunção, no Paraguai.

1972 – É nomeado embaixador no Senegal, África.

1975 – A Associação Paulista de Críticos de Arte lhe concede o Grande Prêmio de Crítica. Publica *Museu de tudo*.

1980 – Publica *A escola das facas*.

1981 – É transferido para a embaixada de Honduras.

1984 – Publica *Auto do frade*.

1985 – Publica *Agrestes*.

1986 – Assume o Consulado-Geral no Porto, Portugal.

1987 – No mesmo ano, recebe o prêmio da União Brasileira de Escritores e publica *Crime na calle Relator*. Retorna ao Brasil.

1988 – Publica *Museu de tudo e depois*.

1990 – Aposenta-se do Itamaraty. Publica *Sevilha andando* e recebe, em Lisboa, o Prêmio Luís de Camões.

1992 – Em Sevilha, na Exposição do IV Centenário da Descoberta da América é distribuída a antologia *Poemas sevilhanos*, especialmente preparada para a ocasião. A Universidade de Oklahoma lhe concede o Neustadt International Prize.

1994 – São publicadas, em um único volume, suas *Obras completas*. Recebe na Espanha o Prêmio Rainha Sofia de Poesia Ibero-Americana, pelo conjunto da obra.

1996 – O Instituto Moreira Salles inaugura os *Cadernos de literatura brasileira* com um número sobre o poeta.

1999 – João Cabral de Melo Neto falece no Rio de Janeiro.

(Fontes: Melo Neto, João Cabral. *Poesia completa e prosa*. Rio de Janeiro: Nova Aguilar, 2008; *Cadernos de literatura brasileira*. Instituto Moreira Salles. nº 1, março de 1996; Castello, José. *João Cabral de Melo Neto: o homem sem alma & Diário de tudo*. Rio de Janeiro: Bertrand Brasil, 2006; Academia Brasileira de Letras; Fundação Joaquim Nabuco.)

Bibliografia do autor

POESIA

Livros avulsos

Pedra do sono. Recife: edição do autor, 1942. [sem numeração de páginas]. Tiragem de 300 exemplares, mais 40 em papel especial.

Os três mal-amados. Rio de Janeiro: Revista do Brasil, nº 56, dezembro de 1943. p. 64-71.

O engenheiro. Rio de Janeiro: Amigos da Poesia, 1945. 55 p.

Psicologia da composição com *A fábula de Anfion* e *Antiode.* Barcelona: O Livro Inconsútil, 1947. 55 p. Tiragem restrita, não especificada, mais 15 em papel especial.

O cão sem plumas. Barcelona: O Livro Inconsútil, 1950. 41 p. Tiragem restrita, não especificada.

O rio ou *Relação da viagem que faz o Capibaribe de sua nascente à cidade do Recife.* São Paulo: Edição da Comissão do IV Centenário de São Paulo, 1954. [s.n.p.]

Quaderna. Lisboa: Guimarães Editores, 1960. 113 p.

Dois parlamentos. Madri: edição do autor, 1961. [s.n.p.] Tiragem de 200 exemplares.

A educação pela pedra. Rio de Janeiro: Editora do Autor, 1966. 111 p.

Museu de tudo. Rio de Janeiro: José Olympio, 1975. 96 p.

A escola das facas. Rio de Janeiro: José Olympio, 1980. 94 p.

Auto do frade. Rio de Janeiro: José Olympio, 1984. 87 p.

Agrestes. Rio de Janeiro: Nova Fronteira, 1985. 160 p. Além da convencional, houve tiragem de 500 exemplares em papel especial.

Crime na calle Relator. Rio de Janeiro: Nova Fronteira, 1987. 82 p.

Sevilha andando. Rio de Janeiro: Nova Fronteira, 1989. 84 p.

Primeiros poemas. Rio de Janeiro: Faculdade de Letras da UFRJ, 1990. 46 p. Tiragem de 500 exemplares.

Obras reunidas

Poemas reunidos. Rio de Janeiro: Orfeu, 1954. 126 p.

Duas águas. Rio de Janeiro: José Olympio, 1956. 270 p. Inclui em primeira edição *Morte e vida severina*, *Paisagens com figuras* e *Uma faca só lâmina*. Além da convencional, houve tiragem de 20 exemplares em papel especial.

Terceira feira. Rio de Janeiro: Editora do Autor, 1961. 214 p. Inclui em primeira edição *Serial*.

Poesias completas. Rio de Janeiro: Sabiá, 1968. 385 p.

Poesia completa. Lisboa: Imprensa Nacional/ Casa da Moeda, 1986. 452 p.

Museu de tudo e depois (1967-1987). Rio de Janeiro: Nova Fronteira, 1988. 339 p.

Obra completa. Rio de Janeiro: Nova Aguilar, 1994. Inclui em primeira edição *Andando Sevilha*. 836 p.

Serial e antes. Rio de Janeiro: Nova Fronteira, 1997. 325 p.

A educação pela pedra e depois. Rio de Janeiro: Nova Fronteira, 1997. 385 p.

O cão sem plumas. Rio de Janeiro: Objetiva, 2007, 204 p. Inclui *Pedra do sono, Os três mal-amados, O engenheiro, Psicologia da composição* e *O cão sem plumas*.

Morte e vida severina. Rio de Janeiro: Objetiva, 2007, 176 p. Inclui *O rio, Morte e vida severina, Paisagens com figuras* e *Uma faca só lâmina*.

A educação pela pedra. Rio de Janeiro: Objetiva, 2008, 298 p. Inclui *Quaderna, Dois parlamentos, Serial* e *A educação pela pedra*.

Poesia completa e prosa. Rio de Janeiro: Nova Aguilar, 2008. 820 p.

Antologias

Poemas escolhidos. Lisboa: Portugália Editora, 1963. 273 p. Seleção de Alexandre O'Neil.

Antologia poética. Rio de Janeiro: Editora do Autor, 1965. 190 p.

Morte e vida severina e outros poemas em voz alta. Rio de Janeiro: Editora do Autor, 1966. 153 p.

Literatura comentada. São Paulo: Abril Educação, 1982. 112 p. Seleção de José Fulaneti de Nadai.

Poesia crítica. Rio de Janeiro: José Olympio, 1982. 125 p.

Melhores poemas. São Paulo: Global, 1985. 231 p. Seleção de Antonio Carlos Secchin.

Poemas pernambucanos. Rio de Janeiro: Nova Fronteira/Centro Cultural José Mariano, 1988. 217 p.

Poemas sevilhanos. Rio de Janeiro: Nova Fronteira, 1992. 219 p.

Entre o sertão e Sevilha. Rio de Janeiro: Ediouro, 1997. 109 p. Seleção de Maura Sardinha.

O artista inconfessável. Rio de Janeiro: Objetiva, 2007, 200 p.

PROSA

Considerações sobre o poeta dormindo. Recife: Renovação, 1941. [s.n.p.]

Joan Miró. Barcelona: Editions de l'Oc, 1950. 51 p. Tiragem de 130 exemplares. Com gravuras originais de Joan Miró.

Aniki Bobó. Recife: s/editor, 1958. Ilustrações de Aloisio Magalhães. [s.n.p.] Tiragem de 30 exemplares.

O Arquivo das Índias e o Brasil. Rio de Janeiro: Ministério das Relações Exteriores, 1966. 779 p. Pesquisa histórica.

Guararapes. Recife: Secretaria de Cultura e Esportes, 1981. 11 p.

Poesia e composição. Conferência realizada na Biblioteca Municipal Mário de Andrade, de São Paulo, em 1952. Coimbra: Fenda Edições, 1982. 18 p. Tiragem de 500 exemplares.

Idéias fixas. Rio de Janeiro: Nova Fronteira/FBN; Mogi das Cruzes, SP: UMC, 1998. 151 p. Org. Félix de Athayde.

Prosa. Rio de Janeiro: Nova Fronteira, 1998. 139 p.

Correspondência de Cabral com Bandeira e Drummond. Rio de Janeiro: Nova Fronteira/Casa de Rui Barbosa, 2001. 319 p. Org. Flora Süssekind.

Bibliografia selecionada sobre o autor

ATHAYDE, Félix de. *A viagem* (ou *Itinerário intelectual que fez João Cabral de Melo Neto do racionalismo ao materialismo dialético)*. Rio de Janeiro: Nova Fronteira/Fundação Biblioteca Nacional, 2000. 111 p.

BARBIERI, Ivo. *Geometria da composição.* Rio de Janeiro: Sette Letras, 1997. 143 p.

BARBOSA, João Alexandre. *A imitação da forma: uma leitura de João Cabral de Melo Neto.* São Paulo: Duas Cidades, 1975. 229 p.

_____. *João Cabral de Melo Neto.* São Paulo: PubliFolha, 2001. 112 p.

BRASIL, Assis. *Manuel e João.* Rio de Janeiro: Imago, 1990. 270 p.

CAMPOS, Maria do Carmo, org. *João Cabral em perspectiva.* Porto Alegre: Editora da UFRG, 1995. 198 p.

CARONE, Modesto. *A poética do silêncio.* São Paulo: Perspectiva, 1979. 128 p.

CASTELLO, José. *João Cabral de Melo Neto: o homem sem alma & Diário de tudo.* Rio de Janeiro: Bertrand Brasil, 2005. 269 p.

COUTINHO, Edilberto. *Cabral no Recife e na memória.* Recife: Suplemento Cultural do Diário Oficial, 1997. 33 p.

CRESPO, Angel, e GOMEZ Bedate, Pilar. *Realidad y forma en la poesía de Cabral de Melo.* Madri: Revista de Cultura Brasileña, 1964. 69 p.

ESCOREL, Lauro. *A pedra e o rio.* São Paulo: Duas Cidades, 1973. 143 p.

GONÇALVES, Aguinaldo. *Transição e permanência. Miró/João Cabral: da tela ao texto.* São Paulo: Iluminuras, 1989. 183 p.

LIMA, Luiz Costa. *Lira e antilira – Mário, Drummond, Cabral.* 2ª ed. Rio de Janeiro: Topbooks, 1995. 335 p.

LOBO, Danilo. *O poema e o quadro: o picturalismo na obra de João Cabral de Melo Neto.* Brasília: Thesaurus, 1981. 157 p.

LUCAS, Fábio. *O poeta e a mídia.* Carlos Drummond de Andrade e João Cabral de Melo Neto. São Paulo: SENAC, 2003. 143 p.

MAMEDE, Zila. *Civil geometria.* Bibliografia crítica, analítica e anotada de João Cabral de Melo Neto. São Paulo: Livraria Nobel/EDUSP, 1987. 524 p.

MARTELO, Rosa Maria. *Estrutura e transposição.* Porto: Fundação Eng. António de Almeida, 1989. 138 p.

NUNES, Benedito. *João Cabral de Melo Neto.* Petrópolis: Vozes, 1971. 217 p.

PEIXOTO, Marta. *Poesia com coisas: uma leitura de João Cabral de Melo Neto.* São Paulo: Perspectiva, 1983. 215 p.

PEIXOTO, Níobe Abreu. *João Cabral e o poema dramático:* Auto do frade, *poema para vozes.* São Paulo: Annablume/FAPESP, 2001. 150 p.

SAMPAIO, Maria Lúcia Pinheiro. *Processos retóricos na obra de João Cabral de Melo Neto.* São Paulo: HUCITEC, 1980. 168 p.

SECCHIN, Antonio Carlos. *João Cabral: a poesia do menos e outros ensaios cabralinos.* 2ª. ed., rev. e ampliada. Rio de Janeiro/São Paulo: Topbooks/Universidade de Mogi das Cruzes, 1999. 333 p.

SENNA, Marta de. *João Cabral: tempo e memória.* Rio de Janeiro: Antares, 1980. 209 p.

SOARES, Angélica Maria Santos. *O poema: construção às avessas: uma leitura de João Cabral de Melo Neto.* Rio de Janeiro: Tempo Brasileiro, 1978. 86 p.

SOUZA, Helton Gonçalves de. *A poesia crítica de João Cabral de Melo Neto.* São Paulo: Annablume, 1999. 220 p.

_____. *Dialogramas concretos.* Uma leitura comparativa das poéticas de João Cabral de Melo Neto e Augusto de Campos. São Paulo: Annablume, 2004. 276 p.

VÁRIOS. *The Rigors of Necessity.* Oklahoma: World Literature Today, The University of Oklahoma, 1992. p. 559-678.

VÁRIOS. *Dossiê João Cabral.* Revista Range Rede nº 0. Rio de Janeiro: Grupo de Estudos Literários Palavra Palavra, 1995. 80 p.

VÁRIOS. *João Cabral de Melo Neto.* Cadernos de Literatura nº 1. Rio de Janeiro: Instituto Moreira Salles, 1996. 131 p.

VÁRIOS. *Paisagem tipográfica.* Homenagem a João Cabral de Melo Neto. Lisboa: Colóquio/Letras 157/158, julho-dezembro de 2000. 462 p.

VERNIERI, Susana. *O Capibaribe de João Cabral em O cão sem plumas e O rio: Duas águas?*. São Paulo: Annablume, 1999. 195 p.

TAVARES, Maria Andresen de Sousa. *Poesia e pensamento.* Wallace Stevens, Francis Ponge, João Cabral de Melo Neto. Lisboa: Caminho, 2001. 383 p.

TENÓRIO, Waldecy. *A bailadora andaluza*: a explosão do sagrado na poesia de João Cabral. São Paulo: Ateliê Editorial, 1996. 178 p.

Índice de títulos

Índice de primeiros versos

Capa e projeto gráfico
Mariana Newlands

Fotos de capa
Luísa Cortesão

Estabelecimento do texto e bibliografia
Antonio Carlos Secchin

Revisão
Fátima Fadel
Sônia Peçanha

CIP-Brasil. Catalogação na fonte
Sindicato Nacional dos Editores de Livros, RJ

M486c
Melo Neto, João Cabral de, 1920-1999
O cão sem plumas / João Cabral de Melo Neto; [prefácio de Armando Freitas Filho; estabelecimento do texto e bibliografia de Antonio Carlos Secchin]. – 1ª ed. – Rio de Janeiro : Objetiva, 2007.
200p.

ISBN 978-85-60281-19-0

Anexo: Primeiros poemas
Conteúdo: Pedra do sono – Os três mal-amados – O engenheiro – Psicologia da composição – O cão sem plumas
Inclui bibliografia

1. Poesia brasileira. I. Título.

07-2100
CDD: 869.91
CDU: 821.134.3(81)-1

4ª reimpressão

[2020]

EDITORA SCHWARCZ S.A.
Praça Floriano, 19, sala 3001 — Cinelândia
20031-050 — Rio de Janeiro — RJ
Telefone: (21) 3993-7510
www.companhiadasletras.com.br
www.blogdacompanhia.com.br
facebook.com/editora.alfaguara
instagram.com/editora_alfaguara
twitter.com/alfaguara_br

1ª EDIÇÃO [2007] 4 reimpressões

ESTA OBRA FOI COMPOSTA EM ADOBE GARAMOND PELA ABREU'S SYSTEM
E IMPRESSA EM OFSETE PELA LIS GRÁFICA SOBRE PAPEL PÓLEN BOLD DA
SUZANO S.A. PARA A EDITORA SCHWARCZ EM MARÇO DE 2020